♡ Le fantôme dans l'arbre ♡

Lis d'autres
livres de la
collection
HIBOU HEBDO!

HIBOU HEBDO

♥ Le fantôme dans l'arbre ♥

Rebecca Elliott

Texte français d'Isabelle Montagnier

Éditions
SCHOLASTIC

Pour Toby, mon petit chasseur de fantômes. - R.E.

Remerciements spéciaux à Eva Montgomery.

Catalogage avant publication de Bibliothèque et Archives Canada

Elliott, Rebecca
[Eva sees a ghost. Français]
Le fantôme dans l'arbre / Rebecca Elliott, auteure
et illustratrice ; texte français d'Isabelle Montagnier.

(Hibou hebdo ; 2)
Traduction de : Eva sees a ghost.
ISBN 978-1-4431-5340-9 (couverture souple)

I. Titre. II. Titre: Eva sees a ghost. Français

PZ23.E447Fa 2016   j823'.92   C2015-908639-6

Édition publiée par les Éditions Scholastic, 604, rue King Ouest,
Toronto (Ontario) M5V 1E1.

6 5 4 3 2   Imprimé en Malaisie 108   17 18 19 20 21

Conception graphique du livre : Marissa Asuncion

♡ Table des matières ♡

♡ Bonjour! ♡

Dimanche

Salut, journal!

C'est moi, Ève Petit-Duc! T'es-tu ennuyé de moi? Je suis sûre que oui!

J'AIME :

Dessiner

Les imprimés

Rêvasser

Le mot p<u>rune</u>

Les chapeaux fantaisie

QUESTIONNAIRE

1. Quel est ton nom?

2. Quelle est ta couleur préférée?

3. Quel est ton plat préféré?

4. Quelle taille fais-tu?

5. À quelle vitesse peux-tu voler?

Les questionnaires

Mes amies

Être super excitée!

La voix horrible de
mon frère Hervé
quand il chante

Mimi Deserre
(alias Mimi la méchante)

Le gris

Me laver les plumes

Avoir peur

Les écureuils

Les sandwichs à la
chenille de maman

Me sentir seule

Voici ma famille :

Papa

Maman

Bébé Mo

Hervé

Moi

Et voici mon animal de compagnie,
Charlie!

Il est si câlin!

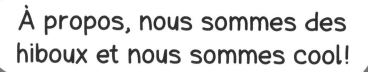

À propos, nous sommes des hiboux et nous sommes cool!

Nous volons.

Nous dormons le jour.

Nous restons éveillés la nuit!

Et nous vivons dans les arbres.

J'habite dans la maisonnette n°11 de l'avenue du Cerisier à Arbreville.

Ma MEILLEURE amie est Lucie Beck. Elle habite dans l'arbre voisin.

Nous dormons souvent l'une chez l'autre! La prochaine fois, ce sera dimanche, dans une semaine! Youpi!

Lucie a un lézard apprivoisé nommé Lou. Charlie et Lou sont amis!

Lucie et moi allons à l'école élémentaire des cimes. Voici une photo de notre classe :

Mlle Plumier

Carlos

Zacharie Marise   Lili

ma classe

Georges Zara

Mimi   Jacob Lucie   Moi

Maintenant, je dois aller à l'école! À plus tard, journal!

♡ Personne ne me croit ♡

Lundi

Ce soir, Mlle Plumier nous a lu une histoire effrayante.

Par une journée sombre et orageuse...

Tous les élèves étaient agités quand Mlle Plumier a fini de lire l'histoire!

Mais Lucie et moi étions TROP excitées à l'idée de notre ~~FANTASTIQUE JOURNÉE PYJAMA~~ pour avoir peur d'une histoire ridicule. (Bon, d'accord, nous avions tout de même un petit peu peur.)

À l'heure du dîner, nous avons planifié les activités de notre journée pyjama.

Ce que nous ferons dimanche :

- Préparer des muffins aux vers de terre

- Tresser des perles dans nos plumes

- Dessiner des chatons avec des chapeaux

- Faire une beauté à Charlie et à Lou

- Rester éveillées pour une collation de midi

En rentrant à la maison, je ne pensais qu'à la journée pyjama. Je volais avec Lucie, Carlos, Mimi et Zacharie quand... J'AI VU UN FANTÔME! Une forme blanche, scintillante et floue est passée juste au-dessus de nous!

Regardez!
Un fantôme!

Le temps que tous les autres lèvent les yeux, le fantôme avait disparu.

Ils ont éclaté de rire.

Bonne blague, Ève!

Non, vraiment! J'ai vraiment vu un fantôme!

Ha! ha! Très drôle!

C'est alors que Mimi a dit quelque chose de pas très gentil.

Arrête donc tes bêtises, Ève. Tu as inventé ça. Tout le monde sait que les fantômes n'existent pas!

Maintenant, tu comprends pourquoi je l'appelle Mimi la méchante! Elle est SI méchante!

J'ai VRAIMENT vu un fantôme. Je n'ai rien inventé (ce n'est pas comme la fois où je n'ai pas fait mes devoirs de maths parce que je faisais semblant d'être allergique au chiffre deux.)

J'étais contrariée que personne ne me croie.

Mais Lucie a chuchoté à mon oreille.

Moi, je te crois, Ève.

C'est vraiment la meilleure amie de tout L'UNIVERS des hiboux.

Quand je suis rentrée à la maison, j'ai parlé du fantôme à Hervé. Il a éclaté de rire.

> Le fantôme a-t-il dit <u>bouh</u> ou <u>hou</u>? S'il n'a dit ni <u>bouh</u> ni <u>hou</u>, alors ce n'était pas un vrai fantôme.

Quelle cervelle d'écureuil! Mais il a peut-être raison, après tout. Le fantôme n'a dit ni <u>bouh</u> ni <u>hou</u>.

C'est <u>possible</u> que mon imagination se soit un peu emballée après l'histoire effrayante de Mlle Plumier.

Mais j'ai vraiment vu <u>quelque chose</u>, journal! Alors je dois prouver à tout le monde qu'il y a <u>bel et bien</u> un fantôme à Arbreville. Ma mission est de :

Trouver le fantôme!

♡ Il m'a poursuivie! ♡

Mardi

Salut, journal!

J'ai revu le fantôme ce soir! Cette fois, j'étais toute seule près du vieux chêne quand j'ai entendu une brindille <u>craquer</u>.

Une créature blanche, sinistre et silencieuse a surgi <u>de nulle part!</u> Et elle m'a poursuivie!

J'ai volé entre les arbres. La créature me serrait de près!

Soudain, il y a eu un grand roulement de tonnerre et des éclairs!

J'ai volé très bas, près du sol, puis haut dans les airs, mais la créature a continué de me poursuivre!

Je crois que ce fantôme voulait me dévorer (je venais de manger des baies et des bestioles succulentes, alors je suppose que j'aurais eu bon goût.)

J'ai plongé dans un marécage pour me cacher et j'ai attendu quelque temps.

Puis, je suis rentrée à la maison le plus vite possible malgré mes ailes détrempées.

Maintenant, je <u>SAIS</u> que je n'ai rien inventé. Ce fantôme n'est PAS le fruit de mon imagination. Il existe VRAIMENT.

(Un jour, j'ai imaginé que j'étais la Reine des fées ailées. Ce n'était pas vrai. Je sais faire la différence.)

25

J'ai demandé à Charlie de monter la garde.

Je vais prendre un bain, puis j'irai parler à mes amis et à mes voisins. Je leur demanderai s'ils ont vu quelque chose d'inhabituel dans la forêt. Je ne suis sûrement pas la <u>seule</u> à avoir vu le fantôme.

J'adore les questionnaires. Alors je vais distribuer une liste de questions à chaque hibou.

Voici ce que j'ai préparé :

QUESTIONNAIRE

1. Quel est votre nom?_____

2. Quel est votre niveau d'intelligence?
   □ génie   □ très intelligent
   □ intelligent □ cervelle d'écureuil

3. Où habitez-vous?
   □ sol de la forêt □ marécage □ tronc d'arbre
   □ nid □ grange

4. Avez-vous déjà VU quelque chose de bizarre
   ou d'effrayant dans la forêt (à part mon
   frère Hervé)?_____

5. Avez-vous déjà ENTENDU quelque chose
   de bizarre ou d'effrayant dans la forêt
   (à part les pets d'Hervé)?_____
   _____
   _____
   _____

6. Croyez-vous aux fantômes?
   □oui □non □peut-être

Je te raconterai la suite bientôt,
journal. Je dois aller me coucher.
La nuit a été longue. Bonne journée!

♡ La preuve ♡

Mercredi

Salut, journal!

J'ai distribué le questionnaire à tous les hiboux que j'ai rencontrés, soit trente-cinq au total! Quand ils ont été remplis, Lucie m'a aidée à les ramasser.

La plupart des réponses ressemblaient un peu à celles d'Hervé :

QUESTIONNAIRE

1. Quel est votre nom?___Hervé___

2. Quel est votre niveau d'intelligence?
☒ génie   ☐ très intelligent
☐ intelligent ☐ cervelle d'écureuil

Je pense que je suis un génie, mais tu penses que j'ai une cervelle d'écureuil.

3. Où habitez-vous?
☐ sol de la forêt ☐ marécage ☒ tronc d'arbre
☐ nid ☐ grange

Tronc d'arbre dans une chambre à côté de la tienne. Tu t'en souviens?

4. Avez-vous déjà VU quelque chose de bizarre ou d'effrayant dans la forêt (à part mon frère Hervé)?___Hé non!___

5. Avez-vous déjà ENTENDU quelque chose de bizarre ou d'effrayant dans la forêt (à part les pets d'Hervé)?___Encore hé non!___
Je n'ai rien entendu d'étrange. Mais la forêt est très bruyante en ce moment à cause des hibou-vriers qui construisent toutes ces nouvelles maisons chics.

6. Croyez-vous aux fantômes?
☐ oui ☒ non ☐ peut-être
Mais je crois que des singes-robots Ninja domineront le monde, un jour.

Bon, la plupart des hiboux interrogés n'ont rien vu ou entendu d'étrange, à part TROIS d'entre eux.

Mme Becfin a dit qu'elle avait entendu des <u>battements d'ailes</u> venant de très haut, plus haut que la cime des arbres (nous ne volons jamais aussi haut. CE DOIT ÊTRE LE FANTÔME!)

M. Gazouillis a dit qu'il avait trouvé une plume blanche devant sa maison. Je pense que le fantôme A MANGÉ quelqu'un et que c'est tout ce qu'il en reste! (Ça ne peut pas être quelqu'un que je connais, car personne de ma connaissance n'a de plumes blanches.)

Jacob a dit qu'il avait entendu un bruit ressemblant à bouh. Mais après, il a dit que c'était peut-être un chat qui faisait miaou. J'aime bien Jacob, mais parfois il a une cervelle d'écureuil.

Ces renseignements sont utiles. Mais ils ne suffisent pas à prouver que le fantôme existe vraiment.

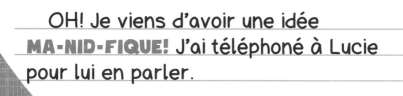

OH! Je viens d'avoir une idée **MA-NID-FIQUE!** J'ai téléphoné à Lucie pour lui en parler.

Lucie! Aimerais-tu faire la chasse au fantôme avec moi?

Ça semble un peu effrayant, Ève. Mais pourquoi pas?

Super! Nous volerons jusqu'au vieux chêne après l'école. C'est là que j'ai vu le fantôme l'autre jour.

D'accord. J'apporterai mon appareil pour prendre le fantôme en photo. Comme ça tout le monde le verra!

Apportons aussi des collations! Qu'en penses-tu?

Bien sûr!

Je dois me reposer. J'aurai besoin de toute mon énergie pour notre GRANDE CHASSE AU FANTÔME de demain!!

♥ Bouh! ♥

Jeudi

Cher journal,
    Je n'ai PAS passé une bonne nuit
à l'école.

    Je n'arrêtais pas de m'imaginer en
célèbre chasseuse de fantôme.

Puis Mlle Plumier est entrée dans la classe et a parlé d'une voix très FORTE.

Si **FORTE** que je suis tombée de ma chaise!

Bonjour, les élèves!

J'étais si gênée! Tout le monde a ri et Mimi m'a traitée de frou-ou-ssarde.

Ensuite, à l'heure du dîner, alors que je mangeais mon **CHENILLERONI AU FROMAGE**, Hervé s'est planté derrière moi et a crié :

BOUH!

Mon repas a volé dans les airs.

Les hiboux ont éclaté de rire de nouveau. Puis, ils se sont TOUS mis à parler du fantôme que je <u>crois</u> avoir vu.

Ils pensent tous que j'ai une cervelle d'écureuil. Je DOIS leur prouver que ce ce fantôme existe.

Je suis soulagée que l'école soit finie. Maintenant, Lucie et moi allons faire notre chasse au fantôme. Nous avons mis des tenues de chasseuses de fantôme très cool. Regarde!

Bon, nous sommes prêtes. Je te raconterai tout ce qui est arrivé. Souhaite-nous bonne chance, journal!

♥ La chasse au fantôme ♥

Vendredi

Hier, Lucie et moi sommes allées au vieux chêne après l'école. Nous nous sommes assises sur une branche et nous avons attendu.

Et attendu.

Et mangé nos collations.

Et attendu encore.

À un moment, grand-papa Hisidore est passé par là. Il construit les nouvelles maisons chics pour hiboux.

Nous avons discuté de notre journée pyjama tout en attendant.

Nous avons attendu encore un peu. Puis Lucie a dit quelque chose de surprenant.

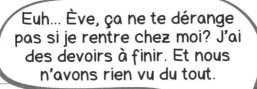

Euh... Ève, ça ne te dérange pas si je rentre chez moi? J'ai des devoirs à finir. Et nous n'avons rien vu du tout.

Tu ne me crois plus, hein?

Oui, je te crois!

Vraiment?

Eh bien, je crois que tu <u>penses</u> avoir vu quelque chose.

Je ne <u>pense</u> pas avoir vu quelque chose. Je l'ai VRAIMENT vu.

Je sais. S'il te plaît, ne m'en veux pas. J'ai vraiment des devoirs à faire. Écoute, garde l'appareil photo au cas où, euh... je veux dire, pour <u>quand</u> tu verras quelque chose. À demain. D'accord?

Comment Lucie pouvait-elle m'abandonner ainsi? PERSONNE ne me croit. Pas même ma meilleure amie. Et <u>toi</u>, tu me crois, journal?

Après le départ de Lucie, j'ai attendu encore un peu. Je suis restée assise sur une branche du vieux chêne jusqu'à ce qu'il fasse presque jour. J'avais sommeil.

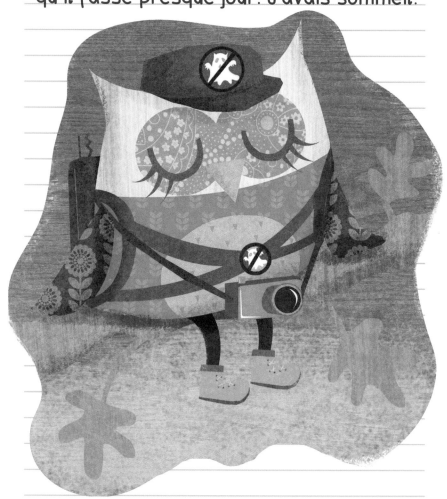

PUIS...

WOOOUCH!

La créature fantomatique blanche est passée juste devant moi en faisant un grand <u>bouh</u>! (En fait, c'était peut-être <u>hou</u> ou même <u>miaou</u>. Difficile à dire. Mais j'ai clairement entendu le son <u>ou</u>!)

J'ai eu SI peur, journal! Mes ailes tremblaient TELLEMENT que j'avais du mal à tenir l'appareil photo de Lucie.

La photo est floue, mais au moins, j'ai enfin la PREUVE que le fantôme existe vraiment!

Je n'ai jamais eu aussi peur de ma vie, journal. Je ne sais pas comment j'ai réussi à <u>fermer l'œil!</u>

Je vais montrer cette photo à mes amis à l'école pour leur prouver que je <u>dis</u> la vérité!

♡ École épeurante! ♡

Samedi

J'ai apporté la photo du fantôme
à l'école hier
soir.

L'heure de « montre-et-raconte »
est arrivée.

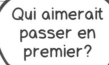

Qui aimerait passer en premier?

46

Je suis allée à l'avant de la classe.

J'ai montré de nouveau la photo. Mais les autres hiboux se sont contentés de rire.

Je suis retournée à ma place.

Mlle Plumier a demandé aux élèves de se taire. Puis elle m'a entourée de ses ailes.

Ta photo est floue, Ève. C'est pour ça que c'est difficile de voir. Mais j'adore ton imagination et ça me donne une idée.

Racontons tous nos meilleures histoires effrayantes. L'élève qui racontera l'histoire qui fait le plus peur aura le droit d'agiter Sonia la sonnette!

Tout le monde adore agiter Sonia la sonnette! Alors tout le monde voulait raconter une histoire effrayante.

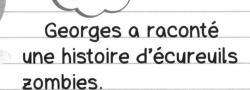

Georges a raconté une histoire d'écureuils zombies.

Marise a parlé d'araignées géantes.

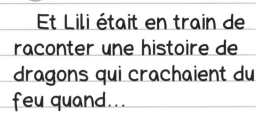

Et Lili était en train de raconter une histoire de dragons qui crachaient du feu quand...

BANG!

Un GRAND bruit a retenti sur le toit!

Tout le monde s'est tu. Nous sommes restés le bec grand ouvert. Nos ailes tremblaient. Même Mlle Plumier semblait effrayée.

BANG!

Le bruit a recommencé. Il y avait quelque chose de GROS sur le toit!

Je me suis précipitée à la fenêtre et je l'ai ouverte. J'ai tendu le cou pour essayer de voir le toit. Les élèves m'ont entourée.

Ève, f-f-ferme la fenêtre!

Je sais ce que je fais!

Regardez!

Nous avons vu deux créatures fantomatiques blanches voler haut dans les airs.

Tout le monde a commencé à me faire des excuses. Puis Lucie m'a tirée par l'aile.

Ève, excuse-moi de ne pas t'avoir crue <u>tout le temps</u>.

Ça va. Je comprends que c'était difficile à croire.

Je suis si heureuse que Lucie me croie de nouveau!

Mlle Plumier est revenue. Elle a dit qu'il n'y avait aucune raison de s'inquiéter.

Nous avons échangé un regard surpris, mais personne n'a rien dit. Qu'allait-elle penser si on lui disait qu'on avait vu des fantômes?

Nous sommes restés silencieux.
Puis Mimi a levé une aile.

Hum... Mlle Plumier, nous pensons qu'Ève devrait agiter la sonnette. Son histoire de fantôme était la plus effrayante de toutes!

Je n'en croyais pas mes oreilles!
Mimi disait que, <u>moi</u>, je devais agiter la sonnette! Je lui ai souri et j'ai agité la sonnette de toutes mes forces.

Ding-ding-ding-ding!

À l'heure du dîner, nous avons élaboré un plan.

Allons __tous__ faire une chasse au fantôme demain!

Oui, toute l'école! Allons attraper ces fantômes!

Nous aurons besoin d'outils pour attraper les fantômes!

Préparons notre équipement anti-fantôme après l'école!

Alors, cher journal, la bonne nouvelle, c'est que tout le monde me croit maintenant. Mais la mauvaise nouvelle, c'est qu'Arbreville est hantée.

Oh non! Je dois y aller! C'est presque l'heure de la chasse au fantôme!

♡ La famille de fantômes ♡

Dimanche

Hier, tous les élèves de l'école des cimes ont fait une chasse au fantôme. Nous avons transporté l'équipement anti-fantôme jusqu'au vieux chêne.

Marise et Zacharie ont apporté un immense filet pour attraper le fantôme.

Georges et Lili ont apporté un grand lance-ballon d'eau.

Zara et Carlos ont apporté des jumelles pour regarder au loin.

Jacob et Mimi ont apporté une couverture pour se cacher dessous.

Quant à Lucie et moi, nous avons apporté des costumes de chasseurs de fantôme pour tout le monde.

Nous étions fin prêts!

Carlos et Zara sont allés au sommet de l'arbre tandis que nous attendions sous la couverture.

Puis Zara a vu quelque chose..

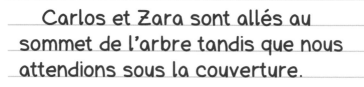

Vite! L'un des fantômes vient dans notre direction!

Georges a armé le lance-ballon. Lili a tiré sur l'élastique.

À L'ATTAQUE!

L'énorme fantôme blanc est passé devant nous. SPLACH! Mais Lili et Georges l'ont manqué.

La bête est revenue vers nous.

WOOOUCH!

Marise et Zacharie ont
lancé le filet. Il a atterri
en plein sur le fantôme!

Nous
l'avons eu!

Tout le monde était
encore caché sous la
couverture, alors j'étais la
seule qui pouvait bien voir le
fantôme. Mais c'était trop tard.

Journal, c'était **TOU-OU-OUT SIMPLEMENT** horrible!

J'ai volé jusqu'au filet.

Les autres petits hiboux avaient trop peur pour sortir de sous la couverture. Quels frou-ou-ssards!

Mais Lucie s'est approchée et elle m'a aidée à retirer le filet.

Ce n'était pas un fantôme du tout...

C'était un harfang des neiges!

Puis quatre autres harfangs des neiges blancs sont descendus des arbres à tire-d'aile et ont atterri à côté de Lucie et moi.

Papa, ils nous prenaient pour des fantômes!

Le gros harfang des neiges s'est mis à rire. Il riait si fort qu'il se tenait le ventre.

Mes camarades aussi voulaient poser
des questions aux harfangs des neiges.

Tout le monde a dit bonjour à Kiera.

Puis Kiera et sa famille se sont envolées.

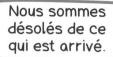

Nous sommes désolés de ce qui est arrivé.

Et je suis <u>vraiment</u> désolée de t'avoir prise pour un fantôme.

C'est alors que j'ai eu une très bonne idée. Je l'ai chuchotée à l'oreille de Lucie.

Lucie s'est avancée.

Kiera, Ève et moi organisons une journée pyjama demain. Aimerais-tu venir?

Oh oui! J'adorerais!

Maintenant, je dois me préparer pour notre grande journée pyjama. Lucie, Kiera et moi allons bien nous amuser!

Alors, journal, je pensais avoir trouvé un fantôme. Mais en fait, j'ai trouvé bien mieux : une nouvelle amie!

Rebecca Elliott ressemblait beaucoup à Ève
quand elle était petite : elle adorait fabriquer des choses
et passer du temps avec ses meilleures amies.
Aujourd'hui, cela n'a pas beaucoup changé, mais ses
meilleurs amis sont devenus son mari Matthew et ses
enfants, Clementine, Toby et Benjamin. Elle aime toujours
créer des choses comme des histoires, des gâteaux, de la
musique et des dessins. Mais elle ne parvient toujours pas
à faire pivoter complètement sa tête comme Ève, malgré
ses multiples tentatives.

Rebecca a écrit les albums *Émilie le mille-pattes* et *Mais
qui a mangé la salade? Hibou hebdo* est sa première série
de romans à chapitres pour jeunes lecteurs.

HIBOU HEBDO

Questions et activités au sujet
du livre *Le fantôme dans l'arbre*

> Qu'est-ce que j'aime le plus?
> Qu'est-ce que j'aime
> le moins faire?

> Comment se sent Ève quand ses
> amis ne la croient pas? Qu'est-ce
> qui les fait changer d'avis au sujet
> du fantôme?

> Quelles sont les choses pas
> très gentilles que je fais dans
> cette histoire? Comment est-ce
> que je surprends Ève?

> Trouve des exemples dans le livre
> pour décrire le fantôme qu'Ève voit.
> Puis décris ou dessine la réalité!

> Crée un questionnaire pour en savoir
> plus sur tes amis et distribue-le-leur.
> Puis partage tes réponses!